D0329209

PHOTOGRAPHIES
DANIEL FAURE

TEXTE
PIERRE MAGNAN

LA PROVENCE DE GIONO

Vue sur...

ÉDITIONS DU CHÊNE

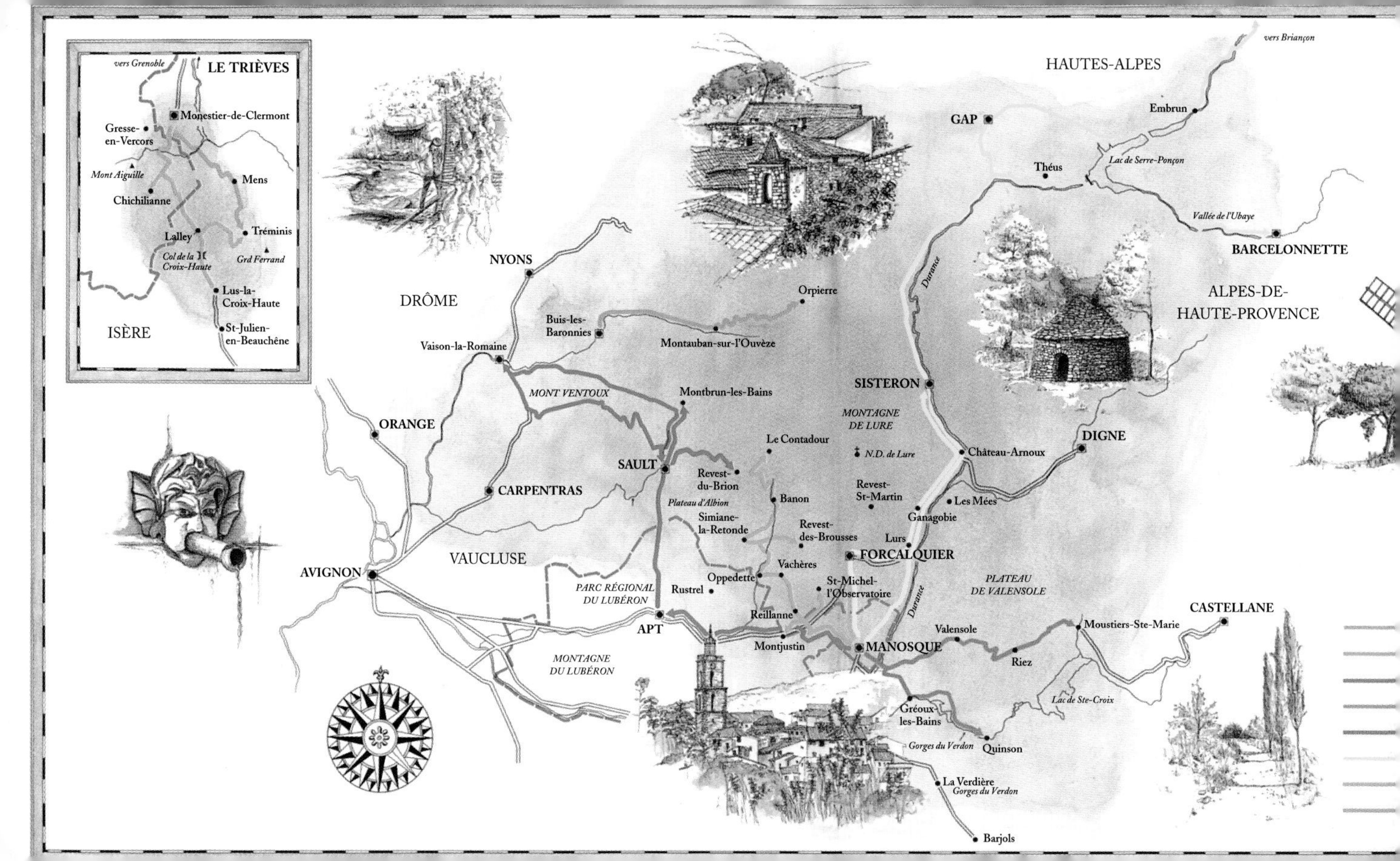
LE TRIÈVES
vers Grenoble
Monestier-de-Clermont
Gresse-
en-Vercors
Mont Aiguille
Mens
Chichilianne
Lalley
Tréminis
Col de la
Croix-Haute
Grd Ferrand
Lus-la-
Croix-Haute
St-Julien-
en-Beauchêne
ISÈRE
vers Briançon
HAUTES-ALPES
Embrun
GAP
Lac de Serre-Ponçon
Théus
Vallée de l'Ubaye
BARCELONNETTE
NYONS
DRÔME
Orpierre
Durance
ALPES-DE-
HAUTE-PROVENCE
Buis-les-
Baronnies
Montauban-sur-l'Ouvèze
Vaison-la-Romaine
SISTERON
MONT VENTOUX
Montbrun-les-Bains
MONTAGNE
DE LURE
ORANGE
DIGNE
Le Contadour
N.D. de Lure
Château-Arnoux
SAULT
Revest-
du-Brion
CARPENTRAS
Revest-
St-Martin
Banon
Plateau d'Albion
Les Mées
Ganagobie
Simiane-
la-Rotonde
Revest-
des-Brousses
Lurs
FORCALQUIER
VAUCLUSE
AVIGNON
Vachères
Oppedette
PLATEAU
DE VALENSOLE
St-Michel-
l'Observatoire
PARC RÉGIONAL
DU LUBÉRON
Rustrel
Durance
CASTELLANE
Reillanne
APT
Valensole
Moustiers-Ste-Marie
Montjustin
MANOSQUE
Riez
MONTAGNE
DU LUBÉRON
Lac de Ste-Croix
Gréoux-
les-Bains
Gorges du Verdon
Quinson
La Verdière
Gorges du Verdon
Barjols

montagne de Lure
Contadour
mont Ventoux
aronnies
ateau de Valensole
montant la Durance
de la Croix-Haute
onestier-de-Clermont
ninis

SOMMAIRE

INTRODUCTION

Giono a enfermé dans son œuvre tout un pays irréel qui parle à l'âme plus que s'il existait. Il y a enfermé des personnages qui continuent à vivre en nous, en dépit qu'on les accuse tant de ne pas être vrais, en dépit que nous ne puissions jamais les calquer sur des êtres que nous rencontrons couramment et qui eux, bien que réels, ne présentent aucun intérêt. C'est pourtant en vertu de cela qu'il est unique.

Lequel d'entre nous, ses lecteurs, ne se demandent pas de temps à autre ce que devient, ce que fait, comment il a vieilli, en quel point de l'univers se trouve, bataillant ferme contre les moulins à vent, ce cavalier *qui semblait un épi d'or sur un cheval noir*. Et je vous accorde pourtant qu'il n'est pas vrai. Mais n'est-ce pas prodigieux qu'un personnage dépourvu de chair puisse tant nous interroger sur son destin et nous captive au point de nous faire oublier le nôtre ?

Pénétrer dans un livre et oublier le monde sera toujours un acte solitaire, un acte individualiste, un acte élitiste. Et ce ne sera jamais partagé par tous, donné à tous.

À plus forte raison pour Giono. Mais celui qui ira se promener dans cet univers tout entier inventé et comme subréel - rendu possible et fraternel par le seul pouvoir de l'écriture - en sortira lavé des souillures, armé d'une nouvelle énergie et surtout consolé. Le pouvoir consolateur de l'œuvre de Giono aura fait ses preuves dans ce siècle même. Elle ne le perdra jamais.

Fenêtres
à Manosque, ville
où Jean Giono
est né, a vécu
et où il est mort.

Au travers de tout ce que vous allez voir dans Manosque, cherchez son âme, c'est un travail qui vous paiera.

PROVENCE

Je suis né à Manosque et je n'en suis jamais parti. Le charme de ce pays ne s'épuise pas.

PROVENCE

à gauche
Les toits de Manosque qu'un jour un certain hussard arpentera : « Il déambulait sur les toits exactement comme sur terre ferme. ... Le clocher, la rotonde, les petits murs, l'ondulation des toits nétaient autour de lui que comme les arbres, les bosquets, les haies et les monticules d'une terre nouvelle... »
LE HUSSARD SUR LE TOIT

à gauche
C'est l'hiver principalement pour prendre le soleil que les Manosquins vont se promener sur le canal. Et c'est ici que le petit Giono va se retrouver face à face avec les portraits qu'il engrange dans son imagination.

à droite
Fontaine à Manosque, « une ville de couvents, une ville de jardins intérieurs, de cours, de puits, de magnifiques fontaines ».
PROVENCE

à gauche
La maison
du Paraïs
à Manosque où
Jean Giono vécut
de 1929 jusqu'à
sa mort, en 1970.

à droite
Le bureau
de Jean Giono.
Un lieu clos,
lambrissé
de chêne, aux
parois couvertes
de livres soit,
mais de livres
énigmatiques
sans aucun
secours
de couvertures
attrayantes.

Calade à
Montbrun.
Imaginez
le temps,
la patience,
l'humilité qu'il
a fallu pour
atteindre à cette
utile perfection.

Quand je dis Manosque, je ne veux pas dire strictement la ville,
mais tout ce théâtre de collines et de vallées où elle est assise,
où elle vit, cette architecture de terres où elle a pris ses habitudes.

PROVENCE

Il faut avoir vécu, et de la vie courante,
dans une de ces fermes solitaires
pour comprendre la situation morale
et la peur de ses familles perdues.
Il n'y a pas de voisins.

PROVENCE

ci-contre
Une élégante cage pour oiseau géant coiffe le clocher de Saint-Sauveur, à Manosque.

à droite et pages précédentes
Fermes aux environs de Manosque.

Giono sera habité
par la montagne
de Lure et s'y référera
directement
ou à mots couverts
tout au long
de son œuvre.

Alors, un beau matin, sans rien dire,
la colline me haussa sur sa plus belle cime,
elle écarta ses chênes et ses pins, et Lure
m'apparut au milieu du lointain pays.
Elle était vautrée comme une taure
dans une litière de brumes bleues.

PRÉSENTATION DE PAN

à gauche
Par la magie
du verbe désormais
Lure apparaîtra
mythique à des
générations
d’hommes et nul
ne la verra plus
qu’augmentée de
la vision de Giono.

à droite
Notre-Dame
de Lure.

Revest-saint-Martin.

Ainsi, pendant toute ma jeunesse,
j'ai eu cette montagne à conquérir.
Elle fuyait devant mon pied
comme une bête pourchassée.

PRÉSENTATION DE PAN

Plateau de Valensole.

La seule architecture de qualité est (pour quelque temps encore, mais compté) celle des collines, des plateaux et des déserts.

PROVENCE

« Valensole a une
église espagnole
(ou qu'on dirait).
Elle émerge
du plateau par
la pointe de son
extraordinaire
clocher. »
Provence

pages suivantes
Le plateau
de Valensole,
dont Giono
dit qu'il « aime
le mystère ».

à droite
Le domaine de
Maurin, à Rians.

Au-dessus de la maison, on distinguait dans l'ombre du ciel une ruine toute mâchée de pluie et de vent, une terrasse bordée de balustres de marbre, des voûtes et de larges fenêtres à croix de pierre.

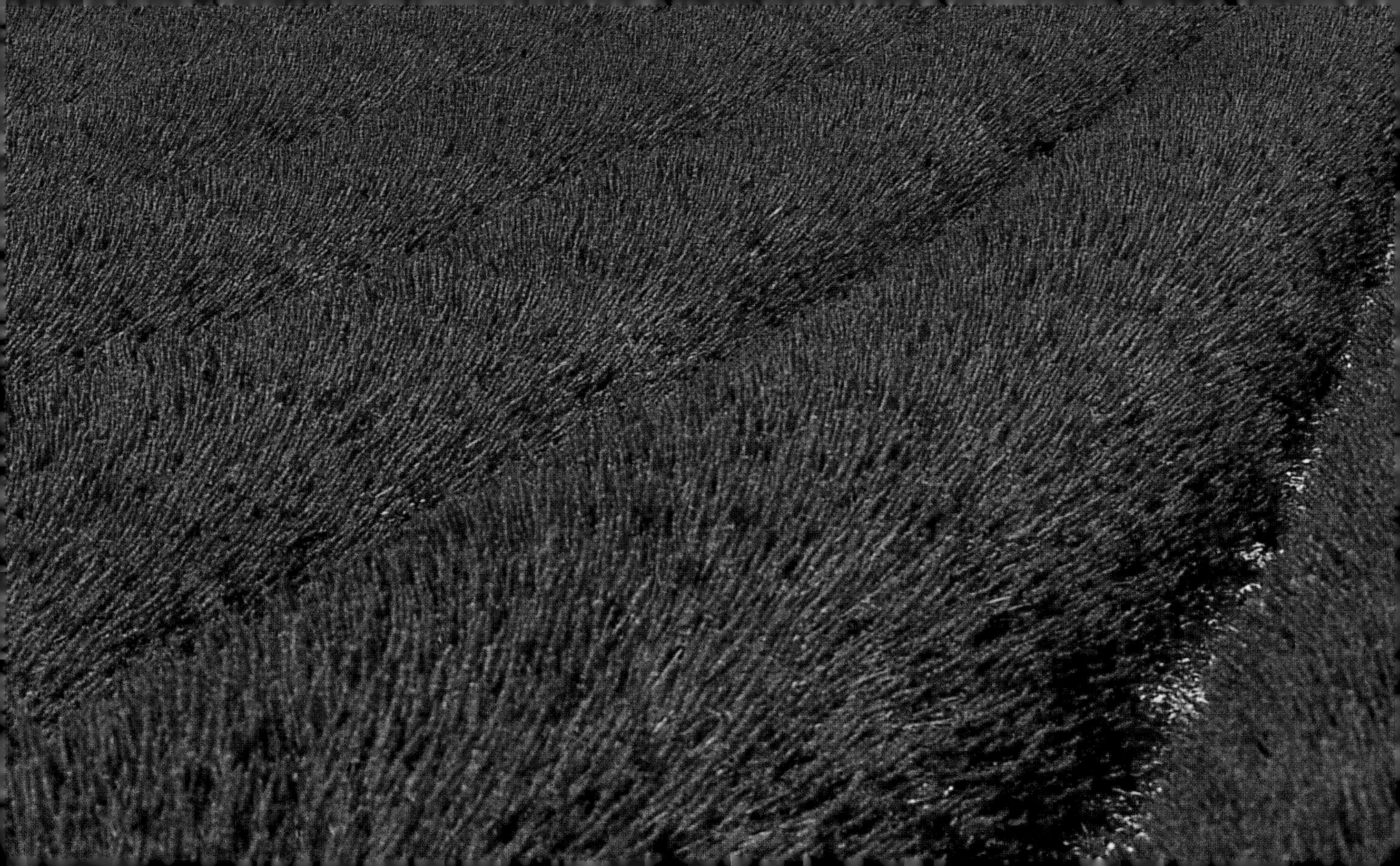

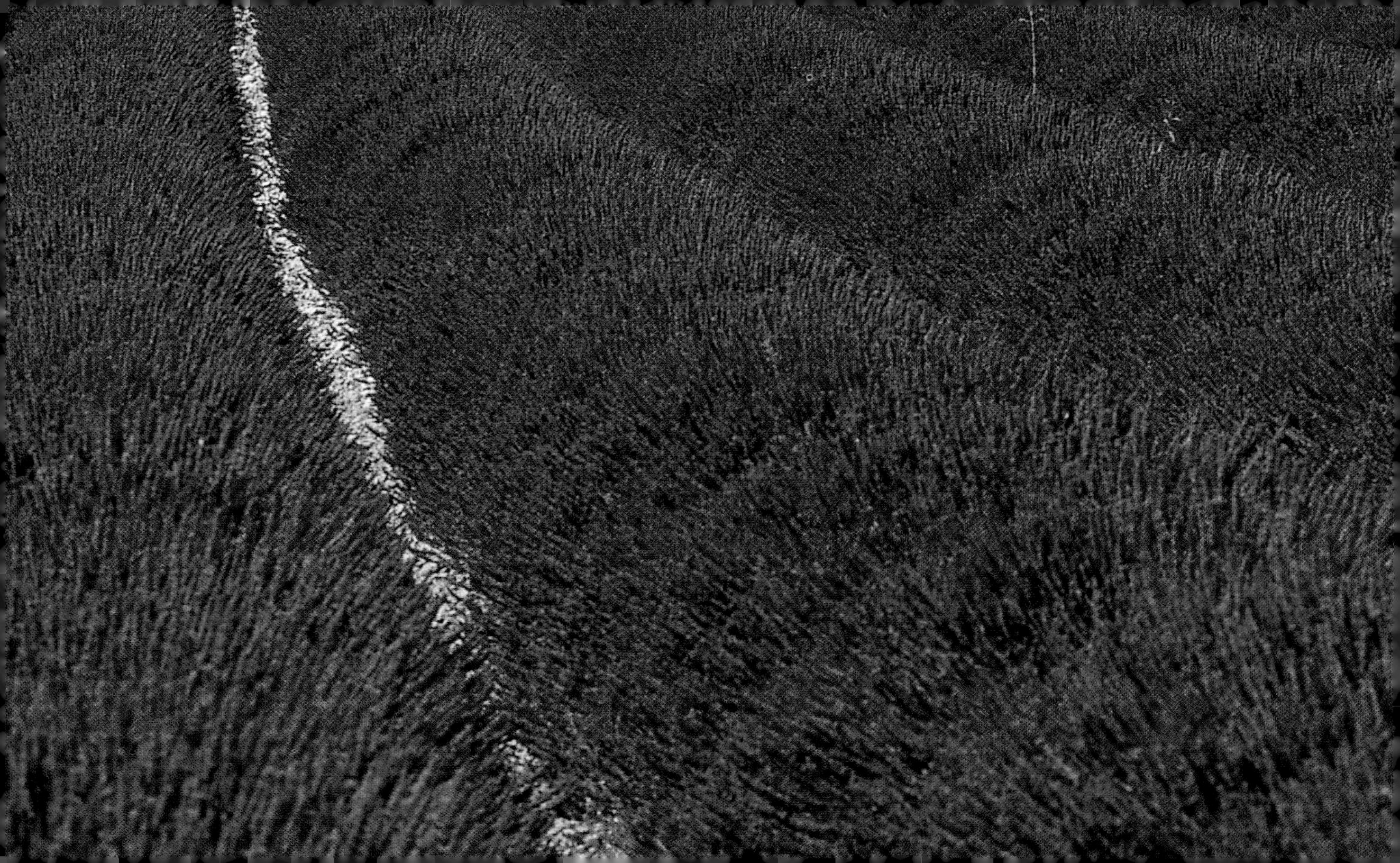

Le Contadour, *un endroit où l'ondulation de la longue montagne rousse abrite trois ou quatre maisons et deux ruines de moulin à vent.*

PRÉFACE AUX *VRAIES RICHESSES*

ci-contre et pages suivantes
C'est au Contadour, avant la guerre, que se réunissaient autour de Giono, les disciples de l'idéal.

à droite
« La lavande est l'âme de la Haute-Provence. ... cette terre offre des étendues désertes couvertes de violet et de parfums... »
PROVENCE

à gauche
Fermes près de Banon.
« J'ai à différentes reprises au cours de ma vie, habité ces fermes solitaires pendant des mois… On se cache derrière les murs ; on pénètre dans les maisons par des chicanes. Une ferme de ce plateau s'appelle *Silence.* »
PROVENCE

à droite
Simiane-la-Rotonde.

à gauche
Vachères. Jamais les lavandes ne parlent mieux à l'âme d'un bas-alpin que lorsqu'elles sont mortes l'hiver et noires à perte de vue.

à droite
Les toits d'Opedette.

Le jour avait été si beau que le soir tombait avec une lenteur infinie.

LE HUSSARD SUR LE TOIT

ci-contre
Amandier en fleurs près de Saint-Michel l'Observatoire. De printemps en printemps, il distribue aux yeux de tous sa gratuite espérance.

à droite
Reillanne, et « le moutonnement houleux d'écumantes collines ».
JEAN LE BLEU

Le moulin
de Monfuron,
près de
Montjustin.

*Je le connais maintenant le cœur
de cette Haute-Provence, j'ai vécu dans lui
au rythme de son battement, il m'a inondé
de son sang et de sa chaleur, et voilà
que j'émerge de lui, gluant et nu comme
si je naissais vraiment, enfin.*

PROVENCE

Dans les environs d'Apt. Planter de la vigne fut longtemps le rêve de tous ceux qu'humiliait la nécessité de ne produire que du blé, de la lavande ou des truffes.

C'était une lande où la lumière et la chaleur pesaient avec encore plus de poids. On pouvait même voir tout le ciel de craie d'une blancheur totale. L'horizon était un serpentement lointain de collines légèrement bleutées.

LE HUSSARD SUR LE TOIT

Sur le plateau
de Sault.
Les maîtres
de ces domaines
régnaient
quelquefois sur
plus de six cents
hectares de
lavandes, de blé,
d'amandiers et
d'arbres à truffes.

pages suivantes
Le village de
Montbrun.

à gauche
À Saint-Jalle.

ci-contre
L'eau, prendra dans l'esprit du poète, à cause de sa parcimonieuse distribution, la place gigantesque qu'elle occupe, mettons, dans les fantasmes désordonnés d'un homme traqué par la soif.

pages précédentes
Montbrun.

à gauche
Le sommet
des Alpes, à l'aube,
vu du mont Ventoux.

C'était le moment où Angélo, arrivé au sommet de l'éminence, voyait enfin dans l'est les manifestations du soir. De l'endroit où il était, il découvrait plus de cinq cents lieues carrées, depuis les Alpes jusqu'aux massifs en bordure de la mer.

LE HUSSARD SUR LE TOIT

... je préfère vous déballer en vrac un catalogue de clichés idoines : ... la vapeur des lointains (violette ou purpurine, au choix), les ombres lourdes, les nuages comme des chars légers, la magie des couchants, le soleil enflammé, les amphithéâtres d'herbes sèches...

LETTRE SUR LES PAYSAGES PROVENÇAUX, *IN* PROVENCE.

« ... on accède alors
au grand plateau
d'Albion qui se
trouve à côté de
la montagne de
Lure et qui est un
des hauts lieux de la
Haute-Provence. »

PROVENC

La Durance vers Pertuis.

Il y a bien longtemps que je désire écrire un roman dans lequel on entendrait chanter le monde.

SOLITUDE DE LA PITIÉ

Amandiers en fleurs et pigeonnier à Lurs.

« Le soleil était haut ; il faisait très chaud mais il n'y avait pas de lumière violente. Elle était très blanche et tellement écrasée qu'elle semblait beurrer la terre avec un air épais. »
Le Hussard sur le toit

pages précédentes
Le village de Lurs.

à gauche
La Durance vue
de Ganagobie.
« Plus loin,
serpentant à plat,
une Durance, de
pierre et d'os, sans
une goutte d'eau ».
LE HUSSARD SUR LE TOIT

à droite
Sous le ciel noir
visible sur cent
kilomètres jusqu'à
la tête de l'Estrop,
on commence
à entendre
grommeler
la Durance.

Sitôt après le détour d'Hôpital, voilà le clocher bleu qui monte au-dessus des bois comme une fleur...

REGAIN

à gauche
Le prieuré de Ganagobie.

à droite
Le village de Montfort.

à gauche
En remontant la Durance, voici Montfort.

à droite
De Forcalquier à la montagne de Lure, les bergers ont construit ces austères cabanes de pierre que sont les bories (ici, près de Ganagobie).

Transshumance
dans les Alpes
du Sud, au mont
Mounier.

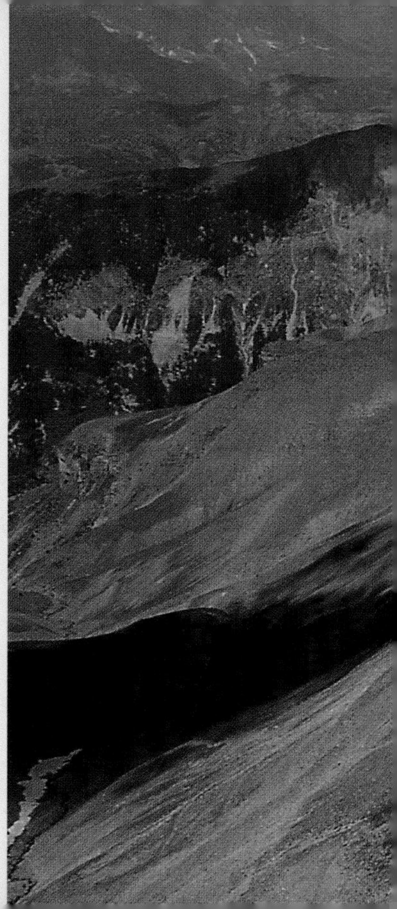

Le bout du monde, sous le Ferrand :
montagne, chamois, mélèzes,
nuages, pluie et casse-gueule.

Giono découvre dans le Trièves, le pays de montagne dont il rêvait. C'est ici qu'il va trouver la matière de ces trois œuvres majeures : *Batailles dans la montagne*, *Un Roi sans divertissement*, *Les Âmes fortes*.

Le Trièves, admirable pays agricole et montagneux.

TRIOMPHE DE LA VIE

à gauche
Fontaine
à Saint-Julien-
en-Beauchêne.

à droite
Route du col
de Grimone.
C'est à l'automne
que Giono passa
pour la première
fois sous ces arcs
de triomphe
ininterrompus...

Sur les pas de Jean Giono

Comme une tache d'huile, la Provence déborde ses frontières historiques.
... Au-delà de Sisteron, vers les Alpes, au-delà de la montagne de Lure,
vers le Vercors, un parfum circule, et c'est celui qu'on respire
dans les collines du Var, les coteaux du Rhône, le désert de la Crau,
la vallée de la Durance. Si cet air est salé de Cassis à Nice,
... s'il sent l'oiseau d'Avignon à Embrun, il est touché d'une pointe
de glace à Briançon, à Lus-la-Croix-Haute, à Die.

PROVENCE

Ce pays que Giono a parcouru, a aimé, fut aussi le décor de son œuvre. Mais attention, si le lecteur de *Colline* ou *Regain* retrouve ici des noms de lieux familiers, Giono a souvent déplacé les montagnes, brouillé les pistes. L'imaginaire prend le dessus. On ne suit pas Giono à la trace mais on le devine dans les ruelles des petits villages, sur les bords de la Durance, sur les flancs de la montagne de Lure. Il faudra aussi comme lui, pousser plus loin, jusque dans la partie méridionale du Dauphiné pour découvrir le Trièves, une région de montagne merveilleusement préservée.

Manosque

Au centre de tout est Manosque, la ville où Jean Giono est né, où il a vécu, où il est mort. Pour commencer la visite on peut, en grimpant par la montée des vraies richesses, se rendre au mont d'Or, « Ce beau sein rond est une colline, sa vieille terre ne porte que des vergers sombres. » De là, on a une belle vue d'ensemble sur les toits de la ville, on aperçoit la plaine de la Durance et la montagne de Lure.

note : les numéros de téléphone qui suivent les noms de lieux sont ceux des offices du tourisme.

Lou Paraïs, montée des vraies richesses : la maison où Jean Giono a vécu de 1929 à 1970 et que l'on peut visiter les vendredis après-midi sur rendez-vous.

Les Amis de Jean Giono, ✆ 04 92 87 73 03.

Le centre Jean Giono, 1 bd Élémir Bourges, ✆ 04 92 70 54 54. En plus d'une exposition permanente, d'une bibliothèque et d'une vidéothèque, le centre organise des journées de découverte du patrimoine de la Haute Provence à travers l'œuvre de Giono.

Office du tourisme, ✆ 04 92 72 16 00.

Vers la montagne de Lure

Les premières promenades de Giono enfant convergent toutes vers un même point : la montagne de Lure. Périple quasi initiatique raconté dans *Présentation de Pan*, la balade est un voyage au centre du monde gionien. Pour atteindre Lure, on partira de Manosque vers Forcalquier ✆ **04 92 75 10 02**, puis Saint-Étienne-les-Orgues ✆ **04 92 73 02 57** qui ouvre la route de la montagne.

Notre-Dame-de-Lure **(1 236 m d'altitude) abbaye bénédictine.**

Le sommet de Lure **(1 826 m). La vue découvre la Provence jusqu'à la mer par temps de mistral. Au pied de la falaise Nord, on plonge vertigineusement dans la vallée du Jabron.**

Le plateau de Valensole et les gorges du Verdon

Sur l'autre rive de la Durance, le jeune Giono démarcheur titres pour une banque parcourt le plateau de Valensole et rencontre, là aussi, les personnages de ses futurs romans. C'est l'univers d'*Un de Baumugnes*. On se laissera ravir par le spectacle qu'offrent les champs de lavande et de blé à perte de vue.

Valensole. Ce bourg est situé à 550 m d'altitude sur les flancs du plateau auquel il a donné son nom ✆ 04 92 74 90 02.

Riez, perchée à 520 m d'altitude, est une ancienne ville romaine, d'une grande richesse archéologique ✆ 04 92 77 99 09.

Moustiers-Sainte-Marie est certainement l'un des plus jolis sites de la région ✆ 04 92 74 67 84.
« Je conseille, écrit Giono, de passer ici la nuit qui éteint toutes les lampes, pour venir vers les minuit, quand tout le monde dort, écouter sur la place de Moustiers le bruit du torrent qui joue dans les échos de son ravin. »

Gréoux-les-Bains, cité thermale dont Giono disait : « Je ne connais pas d'endroit plus guérisseur de l'ennui que Gréoulx » - est située à la sortie des basses gorges du Verdon, à 400 m d'altitude ✆ 04 92 78 01 08.

Le village de Quinson domine l'entrée des basses gorges. De là on peut aller voir les grottes, notamment le canyon Quinson ✆ 04 92 74 01 12.
« Rien de plus romantique que le mélange de ces rochers et de ces abîmes, de ces eaux vertes et de ces ombres pourpres, de ce ciel semblable à la mer homérique et de ce vent qui parle avec la voix des dieux morts. » ***Provence.***

Vers le Contadour

Cette promenade, très significative, conduit sur le « plateau ondulé comme la mer », au Contadour. *Regain* a fait de Giono un meneur d'hommes, et c'est ici, dans les années 30, qu'il va bâtir son rêve de solitude communautaire avec une quarantaine de disciples. L'aventure, au pays fraternel et anarchiste de *Que ma joie demeure*, durera quatre ans. La balade peut se faire dans le cadre de visites organisées par le centre Giono, au départ de Manosque.

Saint-Michel-l'Observatoire, petit village aux ruelles pentues qui accueille les astronomes depuis 1936 en l'observatoire de Haute Provence (visite guidée le mercredi, ✆ 04 92 70 64 00.)

Reillanne dont le petit musée présente d'intéressantes collections d'outillage et d'ethnographie locale ✆ 04 92 76 45 27.

Vachères qui semblera familier au lecteur de *Regain*. « Voilà : de Manosque à Vachères, c'est colline après colline, on monte d'un côté, on descend de l'autre, mais chaque fois, on descend un peu moins que ce qu'on a monté. Ainsi, peu à peu, la terre vous hausse sans faire semblant »

Oppedette, beau village perché sur son éperon rocheux en bordure des gorges du Calavon.

Simiane-la-Rotonde, joli village de vacanciers.

Banon, réputé pour ses tommes, ✆ 04 92 73 36 37.

Le Contadour. C'est ici que, de 1935 à 1939, un groupe d'admirateurs et de pacifistes acheta un moulin pour se réunir autour de Giono, à Pâques et en été. Pour mieux comprendre cette aventure on lira avec profit *Les Vraies Richesses*, dédié par Giono à ceux du Contadour.

Vers le mont Ventoux

« L'odeur des tilleuls continuera à vous envelopper jusqu'à Reilhanette, jusque dans le détroit qui sépare Ventoux et Lure, jusqu'à Sault » : voici une belle invitation à la promenade sur la bordure est des plateaux du Vaucluse. La balade conduira d'une part vers le plateau d'Albion, « c'est le pays du ciel », d'autre part vers le mont Ventoux « qui fait gicler, écrira Giono, des jets de vent avec la pesanteur de son ombre ». Si l'on est à Manosque on se rendra à Apt en passant par Montjustin par le chemin médiéval (aujourd'hui GR4).

Montjustin, village de crête surplombant les vallées de l'Aiguebelle et de l'Encrême.

Apt, célèbre pour ses fruits confits et ses faïences, et siège du parc naturel régional du Lubéron ✆ 04 90 74 03 18.

Rustrel. L'exploitation de l'ocre, propre à la région, est à l'origine du « colorado provençal » situé entre Rustrel et Gigac.

Sault, agréable station climatique, centre d'excursion pour le plateau d'Albion et le Ventoux ✆ 04 90 64 01 21.

Revest-du-Bion, situé à 1000 m d'altitude sur le plateau d'Albion, regarde le Ventoux et les sommets de Lure ✆ 04 92 77 25 75.

Montbrun-les-Bains, offre aussi une belle vue sur le mont Ventoux.

En remontant la Durance

À partir de Manosque ou de Forcalquier, on peut remonter la Durance jusqu'à Sisteron. Si l'on poursuit jusqu'à Briançon par Gap, c'est un peu l'itinéraire d'Angélo le hussard que l'on suivra. On est en plein univers gionien.

Lurs, village de charme que Jean Giono a beaucoup contribué à faire connaître avec le typographe Maximilien Vox, fondateur des rencontres internationales de typographie (fin août).

Ganagobie et son prieuré, une des plus belles œuvres romanes de Haute Provence. Panorama exceptionnel sur le plateau de Valensole et la Durance.

Les Mées et son décor splendide d'aiguilles de rocher dont on peut faire le tour par un sentier de crête.

Sisteron, située à un passage spectaculaire entre la Provence et le Dauphiné ✆ 04 92 61 12 03. Depuis Sisteron on peut rejoindre la montagne de Lure par la vallée du Jabron, une balade prometteuse selon Giono : « Au-delà de Sisteron, du côté droit encore, le doux Jabron. À peine un peu d'eau et qui va lentement en ligne droite contre le flanc nord de la montagne de Lure, à travers les saules nombreux et un pays du Moyen-Age. »

Gap, siège administratif du Parc national des Écrins et ville du sport ✆ 04 92 51 57 03. Fuyant le choléra, Angélo le hussard, escortera la jeune Pauline jusqu'à Théus près de Gap avant de rejoindre l'Italie. « – Vous allez bien quelque part ? – En principe oui. Je vais chez ma belle-sœur qui habite dans les montagnes, au-dessus de Gap. Mais c'est simplement une idée comme une autre. »
Le Hussard sur le toit.

Théus, au sortir de Gap, est situé sur le circuit « Les Demoiselles coiffées » dans un des décors les plus étonnants des Hautes-Alpes.

Le Trièves

Jean Giono, qui cherchait un endroit de villégiature pour sa famille, découvrit le pays de montagne dont il rêvait : le Trièves. Vaste cuvette située entre le Vercors à l'ouest et le Dévoluy au sud, le Trièves ne s'est pas laissé entamer par le tourisme, et c'est tel que Giono l'a connu qu'on l'appréciera encore aujourd'hui.

[La route du col de la Croix-Haute]
Gresse-en-Vercors, point culminant du Vercors et station de ski.

Chichilianne, ce site magnifique est une des portes des hauts plateaux du Vercors par le pas de l'Aiguille ✆ 04 76 34 40 30.

Le mont Aiguille qui domine tout le Trièves.

Lalley, c'est ici que Jean Giono prit l'habitude de louer une maison pour les vacances.

Le col de la Croix-Haute, à la limite du département de la Drôme et de l'Isère, constitue une véritable barrière climatique entre les Alpes sèches du Midi et les Alpes humides du Nord.

Lus-la-Croix-Haute, centre d'excursions à pied dans la haute vallée de Buëch.

[De Monestier-de-Clermont à Tréminis]
Monestier-de-Clermont, point de départ de randonnées vers le col du Fau, qui domine le Trièves.

Mens, petite ville artisanale connue pour ses foires et ses marchés ✆ 04 76 34 84 25.

Tréminis, joli village entouré d'énormes murailles, de forêts, torrents et prairies. C'est là que Giono passe, en 1930, ses premières vacances dans le Trièves.

à emporter :
Provence de Jean Giono, textes réunis et présentés par Henri Godard, éditions Gallimard, 1993.

Les citations de Jean Giono sont extraites des œuvres suivantes :
Le Chant du monde, éditions Gallimard, 1934
Le Hussard sur le toit, éditions Gallimard, 1951
Jean Le Bleu, éditions Bernard Grasset, 1932
Présentation de Pan, éditions Bernard Grasset, 1930
Provence, textes réunis et présentés par Henri Godard, éditions Gallimard, 1993
Regain, éditions Bernard Grasset, 1930
Solitude de la pitié, éditions Gallimard, 1932
Triomphe de la vie, éditions Bernard Grasset, 1942
Les Vraies Richesses, éditions Bernard Grasset, 1936

Création graphique : Krista Sochor et Zoé Vayssières
Responsable artistique : Sabine Houplain
Édition : Aude Le Pichon

Carte : Antoine Capelle, illustrations : Valérie Malpart

Photogravure : Euresys, à Baisieux
Imprimé par Clerc, à Saint-Amand-Montrond
Reliure : AGM à Forges-les-Eaux

Dépôt légal : 2465 - juin 2000
ISBN 2.84277.288.1
34/1450/5 - 01